L'arme secrète de Frédéric

sous la direction de
Yvon Brochu

R-D création enr.

L'arme secrète de Frédéric a remporté le premier prix du concours Libellule 1993 des éditions Héritage. Il s'agit du premier roman jeunesse de Yanik Comeau.

L'arme secrète de Frédéric

Yanik Comeau

Illustrations
Philippe Germain

Données de catalogage avant publication (Canada)

Comeau, Yanik, 1968-

L'arme secrète de Frédéric

(Collection Libellule)
Pour les jeunes.

ISBN : 2-7625-4069-0

I. Titre. II. Collection.

PS8555.0517A85 1994   jC843'.54   C94-940934-0
PS9555.0517A85 1994
PZ23.C65A85 1994

Conception graphique de la couverture : Flexidée
Illustrations couverture et intérieures : Philippe Germain

© Les éditions Héritage inc. 1994
Tous droits réservés

Dépôts légaux : 3e trimestre 1994
Bibliothèque nationale du Québec
Bibliothèque nationale du Canada

ISBN : 2-7625-4069-0   Imprimé au Canada

LES ÉDITIONS HÉRITAGE INC.
300, Arran, Saint-Lambert (Québec) J4R 1K5
(514) 875-0327

À mon frère Maxime,
l'âme et le cœur
de Frédéric.

Ma nouvelle maison

— Frédéric! Frédéric! Fais ça
vite, mon grand! Ton oncle Luc nous
attend dans la voiture. As-tu tout
ramassé?

C'est la voix de ma mère, Louise.
Aujourd'hui, on déménage. Pas avec
papa, juste tous les deux, maman et
moi. Une nouvelle ville, une nouvelle école, de nouveaux amis. Du
moins, c'est ce que maman dit. De
nouveaux amis... Je n'en avais pas
beaucoup ici, alors je ne vois pas

vraiment pourquoi j'en aurais plus à Saint-Gabriel. Mais maman dit que la pensée positive, ça marche toujours. C'est sûr que je le souhaite bien, mais... j'ai appris à ne pas rêver en couleurs depuis que papa m'a amené au restaurant pour m'expliquer qu'il avait choisi de ne plus vivre avec maman. Est-ce que j'ai eu le choix, moi? Non. Comme d'habitude. Quand on a seulement 9 ans, ce sont les parents qui décident.

C'est sûr que c'est plus beau à Saint-Gabriel. Surtout l'hiver. Derrière notre nouvelle maison, il y a un grand champ avec des arbres. J'ai bien l'intention de me construire un poste de pilotage comme dans *Star Trek*.

Ah! oui, est-ce que je vous l'ai dit? Je suis un maniaque de *Star Trek*. Un *Trekker*, comme ils disent en anglais! Je connais presque tout sur ce fameux équipage qui voyage à des années-lumière de la Terre à la recherche de civilisations étrangères.

J'ai tous les films sur vidéocassettes et j'ai même commencé à enregistrer les reprises des émissions de télévision. Quand je joue à *Star Trek*, c'est toujours moi qui fais le capitaine Kirk et Alexandre qui fait Monsieur Spock.

Mais maintenant...

Il va sûrement falloir que je joue tous les personnages parce que Alexandre reste ici, lui. Il ne déménage pas. Alexandre, c'est mon seul ami... de mon âge. C'est le seul qui ne me traite pas de « pas rapport » à l'école. C'est sûr. Les autres disent de lui que c'est un bizarroïde comme moi !

Alexandre a toujours été mon ami. Depuis la maternelle. On jouait toujours ensemble. Et maintenant, on va se voir seulement les fins de semaine, quand je viendrai chez papa. Les semaines vont être longues! J'espère que je vais me trouver un nouveau Monsieur Spock à la nouvelle école.

— Frédéric! Qu'est-ce que tu fais? Il faut partir maintenant.

C'est encore ma mère. En attendant de commencer l'école, elle sera ma seule amie à Saint-Gabriel, c'est sûr. Je ne connais personne là-bas. Heureusement qu'elle aime bien *Star Trek* aussi depuis que je l'ai initiée.

J'ai décidé de prendre mon sac d'école de l'année passée pour mettre toutes mes cassettes, mes livres, mes revues, mes figurines de *Star Trek*. Il est pas mal plein.

Je demande toujours des articles de *Star Trek* à Noël, à Pâques, à ma fête. Dans le fond, j'ai hâte de m'installer dans ma nouvelle chambre, parce qu'elle est beaucoup plus grande. J'en ai déjà décoré les murs avec des affiches de Spock, Kirk, du docteur McCoy et de tout l'équipage de l'*Enterprise*, c'est le nom de leur vaisseau spatial.

Dans ma nouvelle bibliothèque, je vais avoir assez de place pour installer tout mon attirail de *Star Trek*. Maman m'a même dit qu'elle achèterait une nouvelle télévision avec écran géant quand elle aura son augmentation de salaire au nouveau bureau où elle va travailler. Ça va être comme au cinéma!

Hé! mon sac est lourd! Il y en a des choses dedans!

Wow! Ma chambre est vraiment vide. Je me demande qui va coucher ici maintenant? Maman m'a dit que ce sont des parents avec deux filles (ouach!) qui ont acheté notre maison. Elles s'appellent Laurie-Anne et Julie. Je ne sais pas laquelle va prendre ma chambre. Mais je doute que le capitaine Kirk ou Monsieur Spock y remettent les pieds...

Je me sens le cœur aussi lourd que mon sac.

En descendant les marches de l'escalier, je vois bien qu'il ne reste plus rien dans la maison. Les meubles du salon sont déjà rendus dans notre nouvelle maison. Et le gros fauteuil qui ressemble à celui du poste de commande de Kirk est parti chez papa. On peut tourner dedans et faire semblant qu'il y a un tableau de bord qui fait tout le tour.

Je l'aime tellement ce fauteuil-là! Grâce à lui, je vais pouvoir jouer à

Star Trek dans le nouveau salon de papa aussi!

* * * * *

Dans l'auto de mon oncle Luc, j'en profite pour regarder le catalogue des accessoires de *Star Trek* que je viens de recevoir par la poste. J'espère qu'ils ont ma nouvelle adresse. J'aime tellement ça, recevoir du courrier! Dehors, il n'y a rien à regarder. Seulement des champs de blé d'Inde qui n'en finissent plus. On dirait qu'on file dans un désert de blé d'Inde!

C'est long, le voyage. Mais finalement, avec tout ce que j'avais à lire, ça passe assez vite. On est déjà rendus à Saint-Gabriel!

C'est ma nouvelle maison, là, à côté de l'église. Ma nouvelle école est toute proche aussi. Je vais pouvoir y aller à pied. Tant mieux, j'haïssais ça prendre l'autobus : souvent, quand les autres jeunes n'avaient rien à faire, ils me niaisaient parce que j'aime *Star Trek*. Ben quoi ! C'est pas ma faute si je n'aime pas le hockey, le rap et les cartes de sport. J'ai bien le droit !

Ma nouvelle maison est vraiment belle. Elle est toute en pierre des champs, comme maman prétend. Je ne sais pas trop comment ils ont fait pour trouver des pierres grosses

comme ça dans les champs, pour faire la maison, mais en tout cas...

Sur le côté, il y a un garage et maman m'a dit que je pourrais l'utiliser pour jouer jusqu'à ce qu'elle s'achète une auto. Ça va être le «fun»! Je pense que je vais le transformer en passerelle de commandes, avec un système de communication, des cartes de l'espace et toutes sortes d'affaires.

J'ai décidé de placer les meubles de ma nouvelle chambre comme ils étaient dans l'autre maison. C'est comme si on n'était pas déménagés. Sauf que j'ai plus de place. Finalement, je pense que je vais aimer ça, ici. Maman a l'air contente aussi.

Scotty

Ça fait quatre jours qu'on est arrivés à Saint-Gabriel et ce matin, quand je me suis levé, j'avais juste le goût de rester couché. La première journée, j'ai tout décoré dans ma chambre, j'ai posé mes affiches, j'ai placé mes figurines dans ma bibliothèque, j'ai installé mes livres, mes papiers et mes crayons sur mon bureau... La deuxième journée, j'ai regardé les trois premiers films de *Star Trek* à la file; j'arrêtais seulement pour manger quand maman me le disait. La troisième journée, j'ai écrit du matin jusqu'au soir; une nouvelle histoire pour un épisode de *Star Trek*, une idée qui m'est venue dans un rêve.

Et ce matin, plus rien à faire. J'aurais pu finir mon histoire, mais je n'avais pas le goût d'écrire aujourd'hui.

Comme c'est samedi, j'ai décidé de regarder les dessins animés à la télé, mais je commence à trouver ça un peu bébé.

Et après, j'ai eu l'idée d'aller me promener dans le grand champ et le petit bois derrière chez nous. Tant qu'à rien faire!

Mais ce qui m'attendait, je n'aurais jamais pu le deviner. J'ai rencontré quelqu'un! Ben... pas quelqu'un là, mais... il y a des êtres vivants à Saint-Gabriel, imagine-toi

donc! Je commençais à en douter. J'ai rencontré un chien.

Un gros chien noir qui ressemble beaucoup à un saint-bernard que j'ai vu dans un livre sur les chiens, mais pas «pareil-pareil». Il avait l'air perdu, triste, seul. Comme moi, fina-lement!

Quand il m'a vu, il a jappé avec sa grosse voix de gros chien et il est venu me voir. Il m'a léché toute la face. (Ça, je déteste ça! Ça me chatouille et c'est mouillé!) Je l'ai flatté et il avait l'air tout content d'avoir un ami.

Ça tombe bien, moi aussi.

Je pense que mon nouvel ami est vraiment perdu. Il n'a pas de collier avec son nom dessus et il n'a pas de numéro d'identification non plus. J'ai toujours rêvé d'avoir un chien, mais maman ne voudra jamais. Elle est allergique.

En arrivant à la maison avec mon gros chien, j'ai vu maman qui étendait mes «bobettes» sur la corde à linge.

Je déteste ça parce que si des gens passent dans la rue, ils les voient et savent que je porte des culottes avec l'*Enterprise* dessinée à la mauvaise place!...

C'est gênant, quand même! En tout cas, maman me voit arriver avec mon gros chien... et mes gros sabots!

— Qu'est-ce que tu fais avec cette grosse bête-là? Je t'ai déjà dit de faire attention, Frédéric! Il pourrait te mordre!

C'est comme si mon chien comprenait. Il baisse la tête et il prend un air tout triste.

— Mais non, maman! Tu t'inquiètes toujours pour rien. Il fait tellement pitié. Regarde-le. Il n'a pas de famille. Tu vois bien, il n'a pas de collier, rien! Je sais que tu es allergique au poil, mais est-ce que je peux le garder? S'il te plaît! S'il te plaît!

Maman me regarde longuement. Puis, son visage change. La colère dans ses yeux se transforme en pitié. Elle regarde les grands yeux pleureurs de mon nouvel ami et après avoir réfléchi longtemps, elle dit d'une voix douce mais décidée :

— Écoute, Frédéric : on va mettre une annonce dans le journal et si personne ne le réclame, tu pourras le garder. Mais il faudra que tu t'en occupes comme il faut, que tu l'amènes se promener, que tu ramasses ses besoins sur le terrain et que tu le gardes dans le garage la nuit, sinon je n'arriverai jamais à dormir à cause de mes allergies.

Victoire ! Maman a dit oui !

— Merci, maman. Ah ! merci, merci, merci ! Tu es la meilleure mère du monde. Tu veux ? Pour vrai ? C'est sûr ?

C'est vrai que j'ai la meilleure mère du monde. Je pense qu'elle comprend qu'en ce moment, j'ai besoin d'un ami près de moi qui sera toujours là, à qui je pourrai raconter mes joies et mes peines et, bien sûr, mes histoires de *Star Trek*! Mon chien et moi, on deviendra des amis inséparables. Comme Tintin et Milou, Astérix et Obélix... Kirk et Spock!

Mais il faut bien que je lui trouve un nom, à mon nouveau chien. Je ne peux quand même pas l'appeler «mon chien».

Ce serait quoi, un bon nom pour un gros chien qui ressemble à un saint-bernard? Je ne peux pas l'appeler «Copain», «Coco» ou «Bingo» non plus! Ça lui prend un nom qui lui ressemblera un peu. Mmm...

Je l'ai!

Je l'appellerai Scotty, comme le gros monsieur gentil dans *Star Trek*! C'est parfait pour lui. Scotty. Oui! Ça lui va super bien! C'est vrai que si le Scotty de *Star Trek* était un chien, il serait probablement un saint-bernard. Youppi! J'ai trouvé le nom de mon chien!

Bon. C'est bien beau d'avoir un Scotty dans ma vie et c'est sûr que je ressens un «grand-grand» plaisir à l'idée de jouer avec lui, mais, maintenant... il faudrait bien que je me trouve un Spock pour remplacer Alexandre.

Ma nouvelle école

C'est un miracle! J'ai réussi à passer la fin des vacances sans trop m'ennuyer! C'est grâce à Scotty, c'est sûr. Nous avons joué ensemble tout le temps. On s'amusait à courir dans le grand champ, on allait se promener dans le petit bois, je lui ai même appris des trucs comme aller chercher une balle, faire le mort et se tenir gentiment sur ses pattes d'en arrière pour recevoir une gâterie.

Je l'aime tellement, Scotty. Il est devenu mon meilleur ami à Saint-Gabriel.

Mais là, il faut aller à l'école. Une nouvelle école où je ne connais personne. Et c'est sûr qu'il faut que je laisse Scotty à la maison. Il ne pourra pas m'accompagner à l'école, quand même! À moins que je le cache dans mon casier... Mais non! Il est trop gros, voyons!

Je sens que je vais m'ennuyer de lui.

* * * * *

Le nom de mon école est Sainte-Geneviève et je suis en quatrième année maintenant. Mon professeur s'appelle Lisette et elle est très gentille. Elle me fait penser beaucoup à maman... mais en un peu plus vieille. Je ne lui ai pas dit ça, par exemple! Elle est grande, assez belle et elle sourit tout le temps.

Elle m'a présenté à toute la classe comme «le petit nouveau» mais elle n'a pas fait comme au cirque. Elle n'a pas trop insisté. Heureusement, parce que je n'aime pas attirer l'attention quand je ne connais personne.

— Qu'est-ce que tu aimes faire dans tes temps libres, Frédéric?

Ouf! La question! Je ne vais sûrement pas répondre «jouer à *Star Trek*». À l'autre école, tout le monde riait de moi à cause de ça.

— J'aime lire des romans d'aventures, euh... faire des cabanes dans le bois en arrière de chez moi, euh... inventer des histoires... pas des menteries là, des aventures.

Lisette rit. Tous les élèves aussi. Mais pas un rire méchant qui veut dire «t'es ben niaiseux!». Un rire gentil. Je pense qu'ils me trouvent drôle tout simplement. Ça fait chan-

gement! Maman, papa, mon oncle Luc et ma grand-mère Suzanne ont toujours dit que j'étais bon pour faire des blagues, mais à l'autre école, tout le monde les trouvait plates, mes blagues. Ça me fait plaisir de faire rire la classe. Ils m'acceptent! Je suis tout excité!

— Est-ce que vous connaissez ça, *Star Trek*?

Soudain, le silence. Oups! J'ai fait une gaffe, je pense. Je sens mon cœur battre aussi vite qu'après une course dans le bois avec Scotty. Mais tout à coup, Jonathan, un petit garçon avec les cheveux couleur citrouille qui est assis derrière moi, lance:

— Les films qui se passent dans l'espace, avec Spock là, celui qui a des grandes oreilles pointues?

Aussitôt, tout le monde se met à rigoler. Est-ce qu'ils rient de moi ? Je regarde alentour.

— Ah ! oui ! Ça c'est bon ! déclare Josianne, une élève avec les cheveux blonds.

Une fille qui aime *Star Trek* ? Wow ! Miracle ! Je n'avais encore jamais vu ça. Il y a maman, c'est sûr, mais c'est moi qui l'ai initiée, alors ça ne compte pas !

Josianne connaît tous les personnages et, pendant l'été, elle a commencé à regarder la série d'émissions à la télé ! Je pense que je suis amoureux d'elle !

— Souvent, j'écris des histoires avec les personnages de *Star Trek* et après, je les raconte.

Excité par mon entrée triomphale dans ma nouvelle école, je viens de dire mon plus grand secret à toute la classe. J'ai le don de parler toujours trop vite, moi. Maman et papa me le disent souvent, mais... En tout cas, je n'arrive pas à me corriger.

— Ah! oui? fait Lisette, surprise. C'est très intéressant, Frédéric. Penses-tu que tu pourrais nous en lire, une bonne fois?

Je me dis: «C'est impossible. J'ai dû mal entendre. Il faudrait bien que je me lave les oreilles!» Mais c'est vrai! Ce n'est pas un rêve!

— On pourrait peut-être même en faire des photocopies et jouer une petite pièce de théâtre à partir d'une de tes histoires. Qu'en penses-tu, Frédéric?

Toute la classe accueille la suggestion de Lisette par des cris de joie. Tout le monde est d'accord!

— Je veux faire Spock! suggère Jonathan.

— Non, c'est moi! insiste Simon, du fond de la classe.

Je n'en reviens pas. Comme ça, presque par enchantement, et moins d'une heure après mon arrivée dans cette nouvelle école qui m'a fait faire des cauchemars tout l'été, ces élèves, que je connais à peine, se chicanent pour réaliser mon plus grand rêve: jouer une de mes histoires de *Star Trek* à l'école!

— Écoutez, les amis: on en reparlera, d'accord? Apporte-nous ton histoire, Frédéric, et on regardera ça ensemble un autre jour.

Je suis tellement content! Enfin, des personnes qui s'intéressent aux mêmes choses que moi.

Quand la cloche sonne pour la récréation, Josianne, Jonathan, Simon et plusieurs autres viennent me demander s'ils peuvent jouer dans ma pièce. Ils sont tous contents de me connaître et veulent participer! Incroyable!

— En tout cas, moi, je ne veux rien savoir de ça. *Star Trek*! Vous êtes jeunes! Franchement!

C'est Sébastien, un grand qui ressemble à un élève de sixième année, mais qui a neuf ans comme nous. Josianne le regarde avec un air menaçant et, les poings sur les hanches, elle lui lance:

— Ah! toi, il y a juste le hockey qui t'intéresse. Écoute-le pas, Frédéric! Il n'aime jamais rien, lui. Va pousser tes rondelles et laisse-nous tranquilles, Sébastien Jodoin!

J'ai passé la plus belle récréation de ma vie. On a parlé de *Star Trek* et j'ai dit à ceux et celles qui voulaient jouer dans la pièce que je pourrais apporter des accessoires pour que la pièce fasse plus vraie.

— Maman! Maman! Tu ne devineras jamais de quoi on a parlé à l'école!

Mes nouveaux amis

Après l'école, je n'étais plus seul. Jonathan, Josianne et Simon m'ont tous demandé s'ils pouvaient venir chez moi pour voir mes livres, mes figurines et la passerelle de l'*Enterprise* que j'avais montée dans mon garage. Ma mère a été très gentille, comme toujours, avec mes nouveaux amis.

— Est-ce que je peux vous offrir du jus de raisin, du jus de pomme, un verre de lait, des biscuits, des arachides?...

Maman est tellement contente de me voir avec de nouveaux amis qu'elle nous offrirait la lune si elle le pouvait... ou toute la liste d'épicerie!

Quand mes yeux croisent les siens, j'ai l'impression qu'elle va pleurer de joie. Vite, je regarde Scotty avant de me mettre à pleurer moi aussi. Le capitaine Kirk a le cœur plus sensible que vous pensez.

Quant à Scotty, il est très heureux lui aussi parce que maintenant, il n'y a plus seulement deux mains pour flatter son gros corps poilu, mais huit mains! Il est fou comme un balai. Même s'il n'est pas très agile à cause de sa grosseur, il saute partout et nous suit jusqu'au garage où je vais montrer mes installations à Josianne, Jonathan et Simon. Quel plaisir que de voir les yeux de mes nouveaux amis! Ils sont gros comme des dollars!

— Wow! C'est beau! C'est toi qui as tout décoré? demande Josianne, impressionnée.

Quand je lui réponds oui, elle ajoute:

— Tu es vraiment bon! Ça ressemble presque au vrai poste de commande de l'émission!

Elle exagère toujours un peu, Josianne, mais c'est pas grave. Ça m'a fait beaucoup plaisir!

On a joué à *Star Trek* tout l'après-midi, jusqu'à l'heure du souper. Comme de raison, c'est moi qui faisais Kirk. Jonathan a laissé Simon jouer Spock et il a accepté le rôle de Chekov. Josianne s'est transformée en docteur McCoy, même si elle est une fille. Et Scotty, lui... eh bien, il a joué... Scotty, bien sûr! On s'est tellement amusés, tous les cinq.

Quand maman est venue frapper à la porte du garage pour nous dire qu'il était cinq heures, j'étais vraiment très déçu... mais pas pour longtemps.

— Voulez-vous manger avec nous ? J'ai fait des hamburgers pour tout l'équipage de l'*Enterprise*.

Jonathan, Josianne et Simon n'ont même pas hésité deux secondes. Évidemment, ils ont appelé leurs parents pour être certains qu'ils accepteraient. Et quelques minutes plus tard, tout le monde se retrouvait à table !

Après le souper, on a continué à jouer pendant encore toute une heure puisque c'était notre première journée d'école et que Lisette n'avait pas donné de devoir.

Quand Jonathan, Simon et Josianne sont retournés chez eux, je suis allé rejoindre maman au salon pour lui raconter toute ma journée. Elle me regardait avec un grand sourire:

— Ouf! C'est difficile, une première journée dans une nouvelle école, hein? Trois nouveaux amis, un chien qui t'aime, un souper aux hamburgers...

— Je le sais, maman. Ce n'est vraiment pas drôle. Je pense que je devrais retourner à l'ancienne école.

— Hé! que je te comprends donc, mon grand!

Elle est drôle, ma mère, hein? Je pense que c'est d'elle que je tiens mon sens de l'humour. Évidemment, elle me fait un beau clin d'œil pendant que j'enfile mon coupe-vent.

Quelques minutes plus tard, me voilà dehors avec Scotty. Il ne fallait quand même pas que j'oublie de lui faire faire sa promenade jusqu'au bout du rang avant qu'il aille se coucher. Il ne me l'aurait jamais pardonné! Ensuite, je l'installe confortablement dans le garage, je le serre très fort et je rentre pour aller terminer mon histoire de *Star Trek*. Après tout, c'est comme un devoir. Lisette m'a dit qu'elle avait bien hâte de lire ça.

— Frédéric! Il est assez tard, mon grand. Il faut dormir maintenant!

— C'est sûr, maman! Je dors déjà, même!

Ce soir-là, je me suis finalement endormi très tard... quand les piles de ma lampe de poche ont été à plat! On aurait donc dû acheter les piles du lapin rose au tambour qu'on voit à la télé. Mais j'avais fini mon texte et j'essayais déjà de deviner qui

Lisette choisirait pour incarner cha-
cun des personnages dans la pièce de
théâtre. J'aime tellement ça, l'école
Sainte-Geneviève.

En répétition

Quelques jours après la lecture de mon histoire devant toute la classe, Lisette m'a demandé l'autorisation d'ajouter ses idées pour la pièce de théâtre. Elle souhaitait «renforcer» (c'est son mot) le thème principal, le respect des autres. Elle avait décidé de travailler à la pièce de théâtre pendant les cours de formation personnelle et sociale. J'ai trouvé que c'était une super bonne idée!

Elle nous a aussi confié qu'elle avait toujours beaucoup aimé le théâtre et qu'elle avait même fait des mises en scène pendant qu'elle étudiait à l'université pour devenir professeur.

— Celui ou celle qui fait la mise en scène d'une pièce de théâtre, c'est la personne qui dirige les acteurs, qui leur dit un peu quoi faire et qui s'occupe de toute la production. Le metteur en scène, c'est la personne qui prend la décision finale en ce qui concerne les costumes, les décors, les éclairages, la musique. Et pour notre pièce, si vous êtes tous d'accord, je vais faire la mise en scène moi-même.

— OUIIII!

J'ai trouvé que c'était une bonne idée que Lisette soit le chef, parce que, des fois, ça fait de la chicane quand c'est quelqu'un de notre âge.

On ne s'était pas trompés! Ensemble, tout le monde a participé au dialogue, le texte que l'on devait dire, et c'est Nicole, la secrétaire de l'école, qui l'a écrit à l'ordinateur pour nous.

Après, Lisette nous a donné des copies du texte et on a discuté de la distribution: qui jouerait qui. Comme je suis l'auteur, Lisette m'a offert le rôle de Kirk. C'est Kevin qui joue le docteur McCoy, Josianne interprète la gentille Uhura, tandis que Jonathan et Simon sont Chekov et le Chinois Sulu. Je suis content parce que c'est David lui-même qui s'est porté volontaire pour jouer Spock et il a des grandes oreilles lui aussi! Ça tombe bien!

Du côté des méchants, Sébastien, celui qui ne voulait rien savoir de *Star Trek*, a demandé à Lisette de jouer le grand chef Khan et elle a accepté. Même lui est intéressé maintenant!

Plusieurs élèves forment l'équipage de Khan et cinq filles vont jouer les habitantes de la planète Succomba, un nom que j'ai inventé.

Les répétitions vont bien. Enfin... Spock bégaie un peu, Khan hurle au lieu de parler, Sulu le Chinois rougit comme une tomate et la gentille Uhura hoquette encore en plein milieu de ses répliques. Quant au grand capitaine Kirk, eh bien... il a souvent des trous de mémoire. Mais ce n'est pas grave! Tout le monde aime ça et travaille très fort. Je pense que ce sera vraiment bon. J'espère, parce qu'il faut la présenter à Noël!

Jean-Paul, le directeur de l'école, a proposé à Lisette de monter la pièce dans le gymnase où on trouve une scène... la tribune, comme il l'appelle.

Les plus timides de la classe ont décidé de travailler aux décors. Mathieu, un expert en dessins dans ma classe, a été choisi pour diriger l'équipe des décors. Il a fait plein de plans, des dessins et je trouve qu'il est vraiment bon.

Lisette aussi. Elle est très contente et a hâte de voir à quoi ça ressemblera. D'ailleurs, toutes nos heures d'arts plastiques sont passées à fabriquer les décors de la pièce!

Je n'aurais jamais pensé que mon idée irait si loin. Et, en plus, je m'entends bien avec tout le monde dans la classe.

Entre les répétitions, les travaux d'école, les devoirs, Josianne, Jonathan, Simon, Scotty et moi, nous trouvons quand même le temps

de jouer un peu à *Star Trek*. Et Jonathan a même réussi à m'intéresser à un loisir. Tous les mercredis, après l'école, je joue dans un club de quilles dans le village voisin. Incroyable, non?

En tout cas, je peux dire que ça va bien à Saint-Gabriel. J'ai beaucoup de plaisir. J'ai vraiment hâte de voir la pièce à Noël. Papa, mon oncle Luc et ma grand-mère Suzanne m'ont promis d'être là. Je commence déjà à avoir le trac!

La représentation

C'est le soir de la «grande première» au gymnase de l'école! Dans
quelques minutes, le rideau va s'ou-
vrir. Jean-Paul, le directeur, nous dit
qu'il y aura environ trois cents personnes. Je ne savais même pas qu'il
y avait autant de monde à Saint-
Gabriel. J'ai un trac fou! J'ai peur
d'oublier mon texte, de sauter une
réplique. S'il fallait que je fasse une
erreur et que tous les spectateurs
rient de moi, je pense que je mour-
rais!

Tout le monde est costumé, maquillé, coiffé. La pièce doit commencer d'une minute à l'autre. Je regarde par la fente du rideau : papa est là, dans la deuxième rangée, assis sur une chaise droite, entre ma grand-mère Suzanne et maman, qui discute avec mon oncle Luc, à ses côtés. Je suis content que maman et papa soient assis ensemble, même si c'est seulement pour aujourd'hui.

Je pense qu'ils sont nerveux, eux aussi, mais ils sourient et je sais qu'ils vont penser très fort à moi pour que tout se passe bien.

Josianne est superbe dans son costume d'Uhura. Même si, dans la série à la télé, Uhura est noire, Josianne est excellente dans son rôle et elle est tellement jolie que je me marierais avec elle demain matin si on pouvait. Mais ne lui dites surtout pas !

Jonathan et Simon ne sont même pas nerveux. Je ne sais pas comment ils font. Ils ont plus confiance que moi. Lisette nous encourage et nous dit que tout va marcher comme sur des roulettes, mais je sais qu'elle est nerveuse, elle aussi. Elle veut que ce soit bon pour que Jean-Paul et tous les autres professeurs soient fiers de nous.

Même le maire de Saint-Gabriel, monsieur Trottier, est venu nous voir. Il paraît qu'il aime beaucoup *Star Trek*! J'ai hâte de lui parler après la pièce.

Oh! c'est parti! On a éteint les lumières dans le gymnase. Jean-Paul se rend jusqu'au petit cercle de lumière sur la scène, juste devant le rideau.

— Bonsoir, mesdames et messieurs, chers amis, commence-t-il. Il me fait plaisir, au nom de tout

le personnel de l'école Sainte-Geneviève, de vous souhaiter la bienvenue à cette représentation de la pièce *L'arme secrète de monsieur Spock*, inspirée de la télé-série *Star Trek* que vous connaissez sans doute. Cette pièce est une initiative de notre professeure de quatrième année, Lisette Bournival. Elle a été écrite principalement par un nouvel élève, Frédéric Dorais-Lussier. J'espère que vous passerez une agréable soirée. Et, maintenant, place au théâtre!

Des applaudissements. Beaucoup, beaucoup d'applaudissements. Les spectateurs veulent qu'on soit bons, c'est bien évident. J'ai la gorge nouée, mes jambes tremblent. Lisette me fait un massage des épaules (ayoye!) et me conseille de prendre une grande inspiration. Ça y est! Il faut que j'entre en scène avec mon chandail jaune de Kirk.

Josianne me fait un sourire et un clin d'œil, juste avant mon entrée.

Ouf! C'est comme si toute la nervosité était disparue d'un coup. Je ne me sens plus seul. Nous sommes une équipe maintenant. Un équipage, si vous préférez. Cinq... Quatre... Trois... Deux... Un... ZÉRO!

* * * * *

Wow! Quelle expérience! La pièce a été merveilleuse! Les spectateurs ont ri aux bons moments (j'avais écrit quelques blagues dans le texte et ils les ont comprises! Youppi!), ils ont été surpris aux bonnes places (quand Khan a attaqué l'*Enterprise* et qu'il s'est rendu compte que le vaisseau était à l'abri de ses attaques parce que l'amitié et le respect mutuel des membres de l'équipage les protégeaient du mal), et ils ont applaudi comme des fous, debout sur leurs chaises à la fin de la pièce.

J'étais tellement fier. Tout le monde avait donc aimé la pièce et ils étaient bien d'accord avec moi pour dire que ce qui rend la vie si intéressante, c'est d'apprendre à connaître ce que les autres pensent et aiment.

C'était ça, l'arme secrète de Spock. Il savait réfléchir et donner la chance aux autres de parler avant d'attaquer ou dire des méchancetés.

À la fin, maman, papa et ma grand-mère Suzanne viennent m'embrasser et me dire combien ils sont fiers de moi.

— Fantastique, Frédéric! lance papa, en coulisse.

— Si l'arme secrète de Spock, c'était le respect des autres, la tienne, c'est TON IMAGINATION, mon grand! rajoute maman. Quel spectacle!

Mais où est mon oncle Luc? Il n'a pas aimé la pièce? Il a décidé de partir avant la fin? Tout à coup, il pousse le rideau et arrive... avec Scotty! Mon chien n'a pas pu assister à la pièce, mais il est resté sagement sur le siège arrière de l'auto de Luc. Il est venu me féliciter lui aussi, à sa façon!

— Nous allons t'attendre dans la voiture, ma petite vedette! dit ensuite ma mère. Si tu veux inviter tes amis, j'ai préparé un goûter à la maison. À tantôt.

Aussitôt mes parents partis, je vois Josianne s'approcher. Avant que je ne puisse dire un seul mot, elle me saute au cou et me donne un bec sur la joue en s'écriant:

— On a réussi! Tu es le meilleur! Bravo, Frédéric!

Je rougis comme Sulu le Chinois en répétition! Tout le monde nous regarde et dit:

— Ça se découvre! L'amour, l'amour!

Pourtant, malgré ma gêne, je flotte sur des nuages: Josianne m'aime, elle aussi. Je suis tellement content! Mais ne lui dites surtout pas!

Pas avant qu'on soit en cinquième... au moins!

Table des matières

Mot de l'auteur

Yanik Comeau

L'arme secrète de Frédéric, c'est un message d'amour. Je l'ai écrit pour toi et pour faire comprendre à tout le monde autour de toi que si on n'essaie pas de connaître les autres, on se pénalise soi-même. Il y a plein de jeunes comme Frédéric. Tu devrais peut-être essayer de leur parler. Les bons amis comme Frédéric, ce sont souvent les « bizarroïdes » que tout le monde juge un peu trop vite !

Je suis comédien, metteur en scène, enseignant, journaliste, animateur, mais ce que j'aime par-dessus tout, c'est créer, inventer des histoires.

71

Mot de l'illustrateur

Philippe Germain

Illustrer **L'arme secrète de Frédéric** fut pour moi un plaisir. Je comprenais bien Frédéric pour être moi-même un passionné de tout ce qui touche le monde du fantastique, de la science-fiction. Demande-moi de créer des mondes imaginaires, farfelus, et me voilà en orbite! Même que parfois, j'aimerais bien pouvoir entrer dans mes propres dessins.

Je suis né à Montréal et j'ai fait mes études au Collège Ahuntsic. J'ai maintenant onze ans de métier derrière mon crayon.

Je suis un touche à tout: de la sculpture à la peinture, de la décoration à la rénovation. L'important, c'est de travailler de mes mains avec imagination.

Dans la même collection

Bergeron, Lucie,
Un chameau pour maman
La grande catastrophe
Zéro les bécots !

Boucher Mativat, Marie-Andrée,
La pendule qui retardait
Le bulldozer amoureux
Où est passé Inouk ?
Une peur bleue

Campbell, P.A.,
Kakiwahou

Comeau, Yanik,
L'arme secrète de Frédéric

Gagnon, Cécile,
L'ascenseur d'Adrien
Moi, j'ai rendez-vous avec Daphné
GroZoeil mène la danse
Une lettre dans la tempête

Gagnon, Gilles,
Un fantôme à bicyclette

Gélinas, Normand,
   La planète Vitamine

Julien, Susanne,
   Les sandales d'Ali-Boulouf
   Moulik et le voilier des sables

Mativat, Marie-Andrée et Daniel,
   Le lutin du téléphone
   Mademoiselle Zoé

Sauriol, Louise-Michelle,
   La course au bout de la terre
   La sirène des mers de glace

Simard, Danielle,
   Lia et le nu-mains

ACHEVÉ D'IMPRIMER
EN SEPTEMBRE 1994
SUR LES PRESSES DE
PAYETTE & SIMMS INC.
À SAINT-LAMBERT (Québec)